KB103766

그 여름의 끝에는

정민기 시집

그 여름의 끝에는

발　행 | 2024년 8월 02일
저　자 | 정민기
펴낸이 | 한건희
펴낸곳 | 주식회사 부크크
출판사등록 | 2014.07.15.(제2014-16호)
주　소 | 서울 금천구 가산디지털1로 119, SK트윈타워 A동 305호
전　화 | 1670 - 8316
이메일 | info@bookk.co.kr

ISBN | 979-11-410-9879-7

www.bookk.co.kr

시인의 말

장편처럼 길고도 긴
그 여름의 끝에는
덜 익은 시가 한창 익어가고 있다.

2024년 8월
정민기

차례

시인의 말

수국꽃 곁에 서서

수국꽃 곁에 서서
줄기차게 내리는 장맛비를 맞으며
향기 같은 울음 내뱉고 있다

누군가를 애타게 기다리듯
나 또한
한순간에 타오르는 촛불처럼
향기로워질 수 있을까

지고 싶어 피는 꽃은 없다
이기려고 피는 순간
결국엔 지고 마는 것이다

한 번도 사랑하지 않은 사람이
수국꽃 곁에 서 있다고
흔들리는 이 가녀린 사랑을 알까

고독 속에 슬픔을 한 잔 마시고
깊이 잠든 어둠 속

향기로운 사랑의 길을 걷고 있다

수국꽃이
또 다른 수국꽃을 에워싸는

칠월

해의 바짓가랑이를
개 같은 지구가 자꾸 물고 늘어지는 칠월
자석의 다른 극처럼 자꾸 끌어당겨
불볕더위는 가까워서 절정에 다다랐으니

첫날 아침은 이렇게
참새들로 노래 부르게 하고
우리들은 개처럼
전신주만 보면 한쪽 다리를 치켜드는가

구름과 구름이 부딪치자
번개가 번쩍거리는 순간의 사랑
한없이 순수하기만 한 우유
삶은 고요한 시리즈만 내놓고 있다

여름이 가고도
우리는 살아남아 있겠으니
가고 나면 남는 것

청혼하지 않았더라도
신혼인 것만 같은 칠월이 홀로 왔다

낙과

채 익지 못하고 떨어진
저들의 삶도
어쩌면 인생! 기억할 것이다
지난날들의 잊힌 꿈들
다시금 떠올린다
구름 간간이 헛디디는 하늘
낮달에 걸려 떨어질 것만 같은
단 몇 줄의 비

어느 방파제의 기억

푸르게 파도로 윽박지르는 바다를 향해
혀를 내밀 듯 길게 엎드린
어느 방파제의 기억은 금세 곳곳이
볼품없게도 허물어져
가물가물하기만 한데, 항구에 정박한
배 밑부분을 물결이 간지럽힌다
때론 긍정적인 바닷바람의
수많은 이야기는 간을 맞추기도 어려워
짜디짠 맛이 오랫동안 가시지 않는다
자연 그대로 변하지 않는 등대처럼
아무 잘못도 없이 조용히 서 있다
주고받을 명함 한 장 없다고 해도 파도는
드나들며 한사코 해변을 철썩거린다
비정할 수밖에 없어도 겨우 항해하는 배
바다를 미끄러지듯 나아가는데
어쩔 수 없이 마음마저 통통거린다

백합 피어 환한 날

오늘은 백합 피어 환한 날 그리우니
늘어진 낮잠 속에 향기를 꿈꾸다가
은은한 향기 따라서 꽃그늘에 앉을까

띄엄띄엄 들리던 빗소리

뼈밖에 없는 내가 그대 마음 살을 바라면
데칼코마니 같은 나비가 날아다닌다
낚시꾼은 지금 바다를 다그치는데
한동안 철썩거리던 바다 금세 잠잠하다
주둥이에서 나와 어리둥절한 표정으로
주위를 둘러보는 새소리가 들려온다
안개 속에서 느껴지던 나른한 낮잠 가고
여기저기 불볕더위가 마구 날뛰고 있다
후렴도 없이 띄엄띄엄 들리던 빗소리
어느새 징검다리를 건너가고 말았을까?
졸음기 가득한 눈으로 올려다보는
구름이 움직이지도 않고 두둥실 떠 있다
우산 없이 빗속을 걸어가는 동안
나를 알아보는 사람은 한 명도 없었다
깨어나자마자 어딘가로 입양되어 가는 잠

네가 피어나 있다

네가 있는 곳을 바라볼 때마다
내 마음속에서는 네가 피어나 있다
은하수를 올려다보는 여름밤
너는 또다시 피어나 반짝거리고 있다
굽은 길처럼 낮아지는 마음으로
너를 올려다보면 너는 나를 굽어보겠지
햇살처럼 따스한 눈살 찌푸리면
언제 그랬느냐는 듯
나는 뙤약볕 아래 나무처럼 서 있다
멈추어진 너의 발걸음 따라
내 마음도 순간 멈춰 서서 너의 등을
하염없이 바라만 본다
어느 날 내 마음속 꽃은 지더라도
너는 해처럼 지지 말아라
저녁에 바라본 너는 달빛에 둘러싸인
별처럼 항상 아름다울 뿐인데
개펄처럼 그리움에 푹푹 빠지고 있다

검버섯

정오의 햇살 한 점 저녁을 바라본다
옥구슬 굴러가듯 굴러간 저물녘의
문마다 다 열어놓고 어딜 바삐 가셨나

이리도 허망한 삶 고삐도 풀지 못해
성한 곳 하나 없는 마음만 애달프다
업 나간 현실마저도 끌어안고 우짖나

정수리 새똥 맞고 검버섯 덕지덕지
상장은 못 받아도 칭찬은 받아야지
운 좋은 사람이라도 꽃이 피지 않은가

저수지

산란한 듯 어린 윤슬이 떼로 파닥거린다
저 치어를 바라보자
내 눈빛 또한 파닥거리고 있다
오래전 저수지 가에 피어나 바람 쐬는
민물고기 전문 식당은 아직 성성하고
가뭄 제철이 아니라서
바닥의 깊이를 감춘 푸른 접시에는
매운탕 되기 직전의 구름이 올려져 있다
저수지처럼 맑은 물 한 병을
몇 잔씩 나눠 마시는 낚시꾼 같은 사람
몇이 주고받는 이야기는 한 잔에 취하고 만다
날개 달린 새들이 떨어뜨린
울음소리가 산책하는 저수지 길가를 걸으면
나 또한 날개 달린 듯 몸이 가벼워진다
바람의 잠잠한 산그림자에 수면은 조용한데
고집만 푸르게 가진 저 산은
항상 저곳이 자기 자리인 줄 알고 있다
소란한 인기척에 밖을 내다보니
예약한 어스름이 잔뜩 몰려오는 해 질 녘!

안개비

바다 저쪽 수평선으로부터
스멀스멀 누군가를 애타게 부르는
입김 같은 안개가 기웃거린다
그 속을 머뭇거리는 갈팡질팡 비
머뭇머뭇 낚시하는 사람 눈가를 적신다
사랑을 혼자서 노래하기에는
너무나도 지쳐 멍든 바다인 것인가
푸르디푸른 몸짓 따윈 아랑곳하지 않는
갈매기가 어처구니없게도 끼룩끼룩
물거품을 낳고 있다
바닷물과 바닷물 사이를 오가는 어선
안개는 아침부터 쾌청한 분위기!
지속적인 울음을 온종일 꺼내 놓는 바다
파도가 칠 때마다 말랑한 물이랑에는
물고기가 싹을 틔울 그물이 심어진다
눈물을 닦기라도 한 듯
안개는 점점 엷어지려다가도
이내 끼리끼리 모여 속닥거리고 있다
그동안 몇 번이나 피었다가 졌는지

갈매기 깃털 둘러쓴 저 소금꽃 한 무리

연꽃 세상

아침 일찍 세상을 손바닥에 올려놓고
오후가 되기를 기다렸다가
주먹을 쥐어 감싸는 듯한
연꽃이 흐드러지게 핀 산사의 연못

이 세상에 올 때
전생의 기억조차 까마득하게 지워 버린
가여운 우리들의 세상이
한순간 연꽃 속에서 끓여져 나온 차 한 잔
마시는 동안만큼은 나를 좀 더 알고

낡은 것을 눈빛에
새것으로 만들자는 가르침을 받아서
몸보다도 마음의 때를 벗기렴, 이제
나 또한 새로워지리니

모감주 씨앗으로 만든 염주 한 알씩
굴리고 굴려
그것을 한 번씩 돌릴 때마다

마음이 낳은 괴로움이 끊어질 것이고

순천 송광사 목어

손질한 나무 물고기를
걸어놓고 북어처럼 두드리는 것이
인생이라면 또 언제나
두드리는 것이 상책이겠거니

고요한 생각을 휘젓는 산사의 바람 소리
잇따라 불어오는데
호젓한 산길을 걸어오시는 주지 스님
발걸음이 자비스럽게 들려오다가
귓불을 잡고 늘어지고 있다

마음을 조각하는 것이
해탈이 아니면 또 무엇이겠으며
메마른 몸매를 보고 있자니
깨달음 한 마리가 펄쩍 뛰어오른다

순천 송광사에는
목어가 공중을 헤엄치고 있다

은하수, 팔만대장경 금속 활자본

밤을 걸었습니다 여름밤을 걷고 또 걸었습니다
머리 위에는 길게 가로지르는
은하수가 팔만대장경 금속 활자본처럼
반짝거리고 있었습니다
경전에 대해서 잘은 모르더라도
저 빛이
눈동자에 고스란히 스며들 것 같았습니다
꽃나무가 꽃을 놓치듯, 밤하늘이 별을 놓치듯
무작정 놓치고 싶지는 않았습니다
이면에 기다림이라는 것도 없이
먼 곳을 잠깐 바라보는 사이
놓칠 것만 같은 불안감은 떨어졌습니다
채 익기도 전이었습니다
수레바퀴처럼 덜컹거리는 마음
어제 내리다 만 비가 오늘 다시 내립니다
먹구름은 비를 놓치고 말았습니다
한없이 이어진 길이 징검다리처럼 뚝뚝 끊어질 듯!

우는 바다

징징 우는 것도 결국엔 못 할 바에
바닷가 찾아가서 우는 거 들어줄까
여름밤 깊어만 가는데
저 소리에 귀 기울여

갈매기 낮에 울다 지쳐서 돌아가고
바위에 철썩철썩 지친 몸 부딪치는
바다가 가엾기만 한데
푸른 멍 자국 보인다

소란스러운 비

오전에만 해도 불볕더위가
떨어진 아이스크림을 핥아 먹더니
저녁 무렵부터
양복 입은 신사들이 걸어 나가는
구둣발 소리처럼
소란스러운 비가 내린다
뚜껑 열린 듯 한꺼번에 쏟아지는 소음
빗물이 흘러든 하수구는 이미 만석인데
꾸역꾸역 차오르는 빗물이 솟아올라
보면 볼수록 분수처럼 보인다
하늘에서 천둥소리가 달려 나오더니
번쩍! 수박 한 통 갈라지고 있다
나뭇가지에 앉아 노래하던 새라는 음표
오늘 하루를 아예 날아가 버린 것 같다
맞이할 사람 없는 비 오는 날
잎을 눈물처럼 떨어뜨리는 한 그루
밖에서 놀지 못한다고 입이 부리처럼
툭, 튀어나온 아이가 날아오를 듯
두 팔을 펄럭거리며 징징거린다

낮달

새벽녘 빛을 배달하던 달이
폭신한 구름에 앉아 한숨 돌리고 있다
지난 수십 년 동안 되돌아본 세월은
간데없이 배달하는 데만 몰두해 있었다
혼자서는 배달할 수 없는 지렁이를
개미가 떼로 달라붙어
힘을 보태는 것을 어느 날 보았다
우리도 꽃처럼 향기로워질 수 있을까
꽃처럼 웃으며 살아가고 싶은 삶
기적은 항상 기차처럼 늘어져 있다
비 오는 날이 오면 마음 한구석이
흠뻑 젖을 정도로 먹구름에 가로막혀
배달하는 것이 무척 힘에 겹다
마음이 으스러진 자리마다
또다시 마음이 피어나겠지, 비 온다
산봉우리 선착장에 닿으려면
아직 한참이나 남았더라도 이 기분!
개구리의 울음소리처럼 남에게 못 준다
지고 싶어서 피어나는 꽃이 없듯이

빛을 배달하려고 태어나지는 않았다
우리는 같은 곳을 바라보면서
같은 생각이라도 나누고 싶은데

우포늪

사랑에 단 한 번도
빠지지 못했으니

나 여기 우포늪의
매력에 빠져볼까

따오기 울음소리에
아무거나 따 오지

산사의 새벽 종소리

새가 뾰족구두 같은 부리로
해를 오랫동안 두드리고 날아갔을까
해는 부스러기처럼
쨍쨍 햇살을 다소곳하게 내려놓고 있다
차마 버릴 수 없는 인연이라도 되듯
다 건널 때까지 사라지지 않는 무지개
깊이를 모르는 저 하늘 속에는
산사의 새벽종에서
떨어져 나온 듯한 별을 품은 우주가 있다
처음 걷는 동안의 설렘이
산문 앞에 다다르는 동안 두 번은 망설였었지
미적대는 구름 속에는
빗방울이 눈물처럼 엉겨 붙어 있다
화들짝 놀란 산사의 모든 새벽 종소리가
산 밖으로 허겁지겁 빠져나가고
몇 해 케케묵은
항아리를 道 닦듯 정성스럽게 닦는다
종의 마음속에 담겨 있던 종소리가
버려지는 동안

산새는 또 얼마나 소스라치게 놀라서
날개를 파닥거리며 날아올랐을까

장마철 햇살은 금싸라기

장마철에 내려오는 햇살은 금싸라기
부스스 일어나서 찔끔찔끔 내려온
저 금싸라기가 내 몸을 휘감으려고 한다
황금 덩어리처럼 아름다움으로 빛나고
뜬금없이 연애라도 하는 것처럼
나는 황홀한 순간이 다가온 듯한데
소 내기라도 하는 듯 내리는 소나기에
깜짝 놀란 나는 큰 나무 아래
작은 나무처럼 우두커니 서 있다
잠시 구시렁거리던 소낙비가 멀어지고
누군가 마음 한 켤레 신고 너에게로 간다
너에게로 가는 좁고 험난한 길목마다
묻고 답하는 많은 사연이 걸어 다니고
더운 엽서라도 쓰듯 땀이 비 오듯 흐른다
너라는 풀꽃이 이 길가에 피어 있어
한 장, 한 장 웃음 넘겨 볼 때마다
나도 있는 웃음 없는 웃음 내뱉고 있다

남해 금산 보리암

경상남도 남해군 상주면 보리암로,
보리 건빵 한 박스 힘겹게 들고
나비 아니, 자비스러운 보리암에
한 보름 동안 기거하는 날이 있다면

새벽마다 건빵 한 봉지 먹으며
저기 산 아래
죽방렴이 있는 남해의 바다를 바라보기도 하며
시계 방향으로 삼층 석탑을 돌고 돌리라

처마 끝에다가는
내 갓난 시절 울음을 걸어놓고
그 풍경 소리를
비 오는 날 떨어지는 빗소리와 함께
어린 산짐승처럼 듣고 있겠다

승복 입은 스님의 옷자락처럼
춤을 추듯
나풀거릴 것 같은

산등성이를 내려다보기도 할 것이니

체념

어제 진 꽃의
씨앗이 오늘 비로 내린다

울고 싶어도
울지 못했던 꽃

사랑하고 싶어도
사랑하지 못했던 꽃

나는
이 비를 맞으며

우는 법
사랑하는 법을 배운다

나로도

늘 푸른 바다 위에
우뚝 서서 솟아 있어 섬이라는 섬
그 섬 중에서도
바다에 비단처럼 펼쳐진 듯한 나로도

작은 항구에 있는 회센터에
비단결보다도
더 빛나는 머릿결을 반짝거리며
생선을 손질하고
회를 뜨는 일육수산 여자가 손님을 맞이한다

양식이 아닌
오로지 자연산이라는 자부심은
인공위성 실은 로켓처럼
바닷속에서 수면으로 힘차게 뛰어오르는
싱싱함이 고스란히 느껴진다

바다와 이별한 수산물이
즐비하게 모여 있고

갈매기는 적막으로 철썩거리는 바다에
끼룩끼룩, 씨앗을 골고루 뿌린다

손님을 기다리는 생선은
짭조름한 향기를 내뿜고 있다
바닷바람에 기대어
항구는 파도 소리를 음악처럼 듣는다

은하수가 흐르는 여름밤

은하수가 흐르는 여름밤
강가를 거니는 달의 빛이 허공에 한 줌
또 한 줌 씨앗처럼 뿌려지고 있다
연못 수면에 떠 있는 수련잎은
달 같다, 동그란 파동 하나가
바람 앞에
굶주린 맹수처럼 어슬렁거리다가
이내 자취를 감춘다
양말 한 켤레는 두 발을 태우기 위해
기다리고 있다, 여름밤의 은하수
남도의 젖줄 섬진강처럼 반짝거린다
낮 동안 햇볕에 뜨겁게 달궈진
몽돌이 서로 얼굴을 마주 보고 있다

그때는 몰랐어요

그때는 몰랐어요 사랑이 무엇인지
기다림 바람 되어 떠나간 흔적만이
한소끔 끓여 놓아서
먹으려고 합니다

장맛비 속의 해바라기

뭉크처럼 절규하며 고함치는 듯
장맛비를 맞으며 해바라기가 서 있다
먹구름에 가려져 보이지 않는
해를 기다리는 간절한 떨림의 마음
그리움의 비 오는 처마 밑에서
한 번도 기다리지 않은 사람이 있다면
이 마음 함께 진동하듯 떨리지 않으리라

차곡차곡 쌓아 올려진 고향의 볏짚 같은
그 섬의 향수가 물결처럼 밀려오고
내 어린 사연의 깊이에서 해가 보이면
구름과 구름 사이
열린 틈으로 쪽지를 날려 보내겠다
기약 없이 장맛비만 다시금 굵어지는데

맑은 한 잔의 바람이 떠다 놓은 상쾌함!
씨앗이 맺히기를 기다리며
풍선처럼 떠올려 본 꽃 피는 옛 시절,
나뭇가지 부러지는 것처럼 뚝뚝 끊어져

떨어진 눈물을 보일 일은 추호도 없다

구례 숯불갈비

전라남도 구례군 구례읍 택지2길,
구례 숯불갈비 여름 보양식
엄나무 삼계탕 한 그릇 삼복더위 거뜬해

서울에서 20년 이상
갈빗집 운영하다
고향인 구례 귀향 숯불갈비 전문점

노하우 정성 가득 차려진
상차림에 입이 떡!

그 여름의 끝에는

걷고 또 걸으며
땀을 한 바가지 흘렸었던
그 여름의 끝에는
생각처럼 해가 떠오르고 달이 떠오르고
별이 침을 흘리듯 반짝거렸다
휘발성이 강한 옛 추억은
불현듯 바람처럼 흩어져 어디론가
날아가고
다그치는 바다만이 성질난 듯
푸른 얼굴로 철썩거리며
해변에 쌓은 모래성을 철거하고 있었다
한순간에 허물어진 생각이 가여운데
첫 단풍이 물들기 시작하면
떨어진 나뭇잎처럼
벤치에서 꼭꼭 만나자는 약속
저버리기에는 너무나 이르기만 하고
빗물의 수도꼭지 같은 구름이 몰려온다
처마 아래 모이고 모여드는
새들의 울음소리

인기척 없이 서녘에 왔다 가는 노을

해바라기

서녘에 노을빛이 스며든 저물녘은
희망의 씨앗 가득 머금은 해바라기
자연애 우러나오는 차 한 잔의 향기여

서둘지 않더라도 알알이 잘 여무는
희디흰 구름 아래 씨앗을 바라보니
자연미 아름다움을 가득가득 품었네

여름 법당

부처님은 좌판 위의 생선처럼
흘리는 땀 속에 절여 있다
바람은 오늘따라 풍경 소리가 질린 듯
저만치 밀어 놓고 가부좌를 튼다
새소리에 귀를 열어 마음을 통달한 여승
햇살을 덜어 놓으며 명상에 잠긴다
댓돌 위에 수련처럼 떠 있는
고무신의 합장에 두 손을 모은다
진한 물결로 오시는 연꽃 향기
여름 법당 앞은 향긋한 미소가 번진다
아랫목에 앉아 있는 고봉밥의
점점 식어간 온기에 불법을 전한다
여름에는 바람도 세지 않아서
환하게 핀 연등이 지지 않고 있다

선암사 승선교

자비로운 빗물
스님의 발걸음처럼 어슬렁거리다 돌아간
해 질 녘의 선암사 승선교
그 아래 흐르는 계곡 위로 성큼
포물선을 그리며 잿빛 무지개가 떠 있다
승선교를 한가로이 거니는 느린 바람
눈에 보이지 않는 바람의 목소리에
귀 기울이며
계곡에 발 담그다가 새가 날려 보낸
추억을 되새기고 또다시 되새기고 있다
계곡물이 걸터앉은 돌멩이마다
매끄러운 얼굴인 것이다
갈증이 오고 가며 더위가 막히는
온종일 뜨거운 여름날
푸른 녹음에 짙어진 마음 벗어 놓을까
산바람이 경호하는 풍경 소리가
귓불에 걸터앉아 한숨 돌리고 있다

남이섬, 유명숙 춘천닭갈비

경기도 가평군 가평읍 북한강변로,
남이섬 들어가는
종합 휴양지 선착장 근처
뜯고 즐기고 맛보다 남이섬 들어가려는
사람들이 들르는 맛집 중의 맛집
유명숙 춘천닭갈비

닭갈비 하나씩 뜯으며
남이섬 갈 생각을 쥐어뜯고 있다
봄 여름 가을 겨울
내내 가도 감탄사가 터져 나오는 남이섬
언제 가도 그 자리에 있는 닭갈비 맛

한 팀은 철판 닭갈비로,
또 다른 한 팀은 숯불 닭갈비로
털 뽑힌
국내산 생닭이 얌전히 기다리고 있다

늦었다고 생각하는 날

바로 그날 가는 남이섬이 가장 좋을 듯!

꽃 피는 시절의 연가

조용한 시골 길가 희미한 추억 담고
수많은 기억 속에 흘러온 나비 날아
정 주고 마음 받아서 꽃잎들이 웃는다

조명등 환히 켜진 꽃그늘 자리 잡고
수풀 속 피어 있는 들꽃을 바라보자
정결한 마음가짐으로 향기 한 곡 흐른다

한여름 코스모스

명랑한 몸짓으로 피어난 코스모스

숙연한 마음가짐 꽃줄기 가득하네

현란한 여름 햇볕에도 향기로운 마음씨

통도사 입구 맛집, 통도 밀면

경상남도 양산시 하북면 통도사로,
통도사에 오르기 전
아니면, 통도사에 오르고 나서
밀면 한 그릇씩 앞에 놓고 백팔 번
고개 숙이며 후루룩거리기 너무나 좋은
통도사 입구 맛집, 통도 밀면

자비로운 살얼음 동동 띄우니
부처님의 인상 깊은 미소가
물밀면 육수 위에 저절로 떠오를 것 같은데
만두 한 접시에 부드러운 생각과
육즙 가득한 추억이 그려지고 있다

온갖 번뇌를 비비는 듯한 마음으로
비빔밀면을 비비고 나면
앞뒤 생각할 것 없이 후루룩거리면 그만!
밀면 한 그릇에
더위 또한 멀리멀리 날려 보낸다

아침 이슬

어제의 아침 이슬은 사라졌으나
오늘 밤 달에 맺혀 다시 반짝거렸습니다

거제 바람의 언덕

바람이 불어와 풍차를 타는 곳
높디높은 삶의 언덕 오르지 못해도
거제 바람의 언덕에 올라 보리라

또 다른 바람이 그 뒤를 이어
풍차를 타자 풍차는 달려 나갈 듯
시원스럽게 움직이고 있다

바람의 언덕에서 바람의 힘을 빌려
어수선한 마음 어디론가 떠나보내고
뿔난 바다의 파도처럼 부서진다

바람이 모든 것을 앗아가고
한가롭게 길 위에서 중심을 잡다가
바람의 손길 따라 풍차에 오른다

낮달 엽서

바쁜 일이 있는지 장맛비 서둘러 가고
먹구름 선글라스 결국 벗은
푸른 하늘에 낮달 엽서 반쯤 꽂혀 있다
그동안 삐삐 마른 햇살 다시 찌는
불볕더위가 밤에도 열대야로 이어진다
섬진강에서 울어주던 두꺼비 조용!
그가 종종 방문한다는 행운동 우체국
남부순환로는 아직 내 마음속에서
도저히 사랑이란 걸 순환하지 않고 있다
깃털 하나 빠지는 듯 나뭇잎 떨어진다
외롭더라도 조금씩 높아지는 하늘
쓸쓸히 그늘을 싹싹 비우고 걸어간다
머나먼 밤하늘에 눈빛 반짝거려서
그게 그의 한쪽 눈빛이라도 되는 듯!
내 고향 섬 거금도 가는 길목에는
아기 사슴이 떠나갈 듯 울 때가 다 있다
방전된 빛을 충전하고 싶은 낮달 엽서

화엄 계곡

더위에 난파된 마음 기울어진 해 같아
경쾌하게 흘러든 화엄 계곡
나 거기 발 담그고 잠시 녹음을 즐긴다
문득 생각난 듯 틀어 놓은 새소리
잠그지 않은 듯
흐르는 소리 아직도 들려오고 있다
산행의 지친 발걸음
계곡을 향해서 가까워지는지 지저귄다
얕은 여울에 부딪힌 가녀린 마음
어디 하소연할 데가 전혀 없어서인지
물의 흐름은 여전히 변하지 않고 있다
한 사람이 머물지 않고 떠나가는 듯
물소리 한참 마음 울리며 멀어져 가고
저녁은 어둠을 풀어 뛰어다니도록 한다
나무가 우는 듯 나뭇가지를 들썩거려
마음이라도 뒤적거리는데 줄 것이 없다

상사화

차라리 나를 두고 떠나길 바라지만 잎 지면 꽃을 본들
그 무슨 소용일까

영원한 향기 없어도 속으로는 향긋한

백련사

나를 피해 백련사로 달아나
우윳빛 연꽃으로 피어 있는 그녈 찾으러
바람 편에 마음 실어 백련사 가는 길
백련은 여기 없다, 자꾸만 우기는 가운데
봄마다 겨울과 싸운 동백이 머무른다고,
그때가 되면 동백이라도 만나러
꼭 다시 들러주라고 신신당부하는데
그리운 백련은 대체 어디에 있을까
토굴에 들어가 가부좌를 튼 바람의 미소
비가 다녀간 한나절을 꼬박 울다시피!
만경루에 기대어 눈물방울 떨어뜨린다
해탈한 듯 빗소리 엉금엉금 찾아들고
신발을 벗어 놓은 댓돌에 앉아
두 손바닥으로 얼굴을 가리고 운다
해우소는 가면 갈수록 눈물 지고 있다

와온 바다

누군가가 달려 나와 반겨줄 것 같은 곳
파도가 다그치듯 철썩거리고 있다
느린 기다림이 질퍽질퍽 머무르는 갯벌
가로등을 켜고 어둠을 감싸안는다
전해 줄 사람 없어도 바닷가에 홀로 앉아
순박한 너를 쓰고 바람에 두둥실 띄운다
사랑 없이 스르르 문득 풍경에 젖는데
모든 인생의 길이 여기 흐르고 있다
어느새 빛을 소화한 낮달 희미하게 떠서
커피 향이 날 것만 같은 노을이 번져
가끔 바람이 머리를 빗겨 주고 가는데
감자 한 알처럼 따끈따끈한 저 웃는 바다

낙조

황혼으로 걸어가는 노인의 손에
지팡이가 사로잡혀 있다
구부정한 슬픔은 그 누구와도 친하게
어울리지 못한다
가난을 뒤집어쓴 노인은 가로등 눈빛에
기어이 기어들어 가고 싶어 한다
소나기가 내리니 빗방울을 머금은 풀잎
머나먼 바다로부터 파도가 욕하며
해안으로 달려오고 있지만
노인의 사투리와 싸우기에는 이르다
햇볕을 말아 먹는 듯한 여름날
한 끼 식사는 녹슬어 삐거덕거리고 있다
폭포처럼 우는
소란한 울음소리는 부딪칠 곳이 없다
여전히 풀잎은 빗방울을 짊어지고

그리운 해인

경상남도 합천군 가야면 해인사길,
이 길 걸어본 기억
별이란 별은 하나도 반짝거리지 않는다
그리운 해인 만나러 가는 길
불경스러운 일이라도 생긴 듯 빠르다
가는 길목마다
매운 걸 먹고 우는 듯한 매미
사랑으로 해탈하기는 이미 늦은 것이다
커다란 가마솥에 들어가 앉아 있는 듯
나는 그저 편안하지만
비 오듯 흐르는
땀방울이 꼭 해인의 진주목걸이 같아서
목 놓아 처절하게 우는 한여름
울음소리는 골짜기 멀리까지 달아난다
일주문에 등을 기대고 서서
바라보는 곳에 잘 여문 해인의 눈망울
올가을에는 사랑이 풍성할 것이라고,
마음마저 깨끗해지고 화려해지는
산길을 걷고 걸으며 해인을 찾아다닌다

웅장한 옛 모습을 아직도 간직하는지
고즈넉한 바람 소리 한달음에 쫓아온다

비비고 사골곰탕

비비고 사골곰탕 얼마나 진국인가
한 그릇 먹고 나니 기운이 펄펄 나네
쓰러진 소도 일어날 맛이기에 이거야

곰탕에 라면 사리 넣어서 먹고 나니
역시나 이 맛이야 엄지척 치켜드네
보양식 이거 하나면 넉넉하고 충분해

화개장터 옥화주막의 여름

경상남도 하동군 화개면 쌍계로,
구경 한 번 와 보라고
오는 사람마다 이웃사촌이 된다고
조영남이 고래고래 불렀던 화개장터
오늘이 장날인데
화개 버스 터미널에서부터
화개교 걸어오는 장꾼들 행렬이 기차 같다
장터에서 국밥 한 그릇으로
이른 아침 허기진 배를 채우고
반나절 장을 본 자리가 오늘도 허전하다
허탈한 웃음 결국 금세 새어 나가니
옥화주막 평상 하나를 차지하고 걸터앉아
재첩국에, 해물파전에, 도토리묵에
산수유로 만든 탁주 한잔 거나하게 걸친다
치렁치렁 온몸에 걸친 보석 같다
여름 해가 막 서산으로 취한 몸을 틀었다

섬진강 하늘 풍경 펜션

전라남도 구례군 토지면 섬진강대로,
두꺼비 눈빛 같은
섬진강 푸른 물줄기 따라
자리 잡은 섬진강 하늘 풍경 펜션

그 하늘도 섬진강처럼 푸르다
구름도 흘러가다
아름다움에 반해 발걸음 멈춘다

양탄자처럼 폭신폭신한
잔디가 깔린 마당을 들어서는 순간부터
푸른 감동이 강물 따라 스며든다
바라보는 눈길마다 수줍음 짙게 번지는

아, 여기가 바로 두꺼비 섬에 나루 진이어라

노을 청소

창문에 노을이 짙게 묻어 있다
물을 한 컵 입에 머금고
스스로 분무기가 된다, 한순간에
불경스러운 물은 발사되고
노을은 지워지지 않은 채 창문이 운다
울음소리를 억지로 삼키고 있는지
눈물만 흘리고 있다, 손수건처럼
도저히 젖지 않는 노을을 바라본다
오히려 화만 잔뜩 키운 듯
붉게 붉게 자존심을 드러내고 있다
비가 오는 것처럼 땀이 흐른다
내가 창가에 서서 마주 보는 것은
얼룩진 노을일지 모르겠지만
내게는 별수 없이 거추장스러운 것이다
녹아내린 햇살만 떨어지고 있다
나뭇잎 속에 발톱을 감춘 저 큰 나무
노을을 애써 닦아내려고 한다

해미 호떡

충청남도 서산시 해미면 동문2길
호떡이 맛있어서 누구나 해미 호떡
뜨거운 맛을 보려고 일부러 찾아오네

유명한 호떡 사랑 남에게 못 주지만
둘이 나눠 먹기 딱 좋은 사이라네
식어도 맛이 뛰어나 깡충깡충 토끼 춤

해미읍성 카페, 오아시스

충청남도 서산시 해미면 동문2길,
해미읍성 둘러보고
느긋하게
커피 한 잔의 여유 즐길 수 있는
카페, 오아시스

사막 같은 한여름을
저 끝으로 보내기에 안성맞춤인
생망고 빙수 한 그릇
생망고가 씹히는
그 맛이 기막히게 달콤한데

싱글 오리진 카페라테
한 잔의 향기에 허우적거린다

나로도 수미수산 건어물

전라남도 고흥군 봉래면 나로도항길,
청정 해역 바다에서 갓 잡아 말린
싱싱한 건어물이 손님을 맞이할 준비하는
나로도 수미수산 건어물

양식은 하나 없으니
순수 자연산 그대로 펄쩍거리는
힘 좋은 수산물이 가득한 곳

끼룩거리는 갈매기 노랫소리
짭조름하게 배어들고
간이 딱 맞도록 바닷바람이 불어온다

썰물과 밀물이 드나드는
그 길목에서의 기다림은 간절하다
수산물의 우주에
희디흰 소금꽃이 은하수 반짝거리듯
피고 진다

꽃병에 꽂은 꽃

임시로 꽂아 놓은 꽃병에 활짝 피어
영원한 아름다움 진하게 향기롭네
덕 있고 인정 많으니 그 행실이 선하네

임하신 귀하신 몸 그 어떤 옷이라도
영역을 넘어서도 얼굴이 곱디고와
덕으로 쌓은 풍요로움 눈썹 미소 향긋해

에펠탑 아래 미라보 다리를 센 강처럼 흐르
듯 걷는

에펠탑 아래
미라보 다리를 센 강처럼 흐르듯 걷는
제33회 파리 올림픽 선수들
우연한 시대에
만난 그들은 서로 얼싸안는 분위기로 뛴다
평범한 일상을 액자에 끼워 걸어 놓고
음악을 아는 독수리의 날갯짓처럼
날렵하고 우아한 몸짓으로
금메달, 은메달, 동메달의 주인이 된다
작사가가 작사한 가사에
작곡가가 곡을 붙여 가수가 노래를 부르는 듯
회전목마처럼 시간은 경쾌하게 흘러간다
센 강의 센 물줄기에 휘말리지 않고
TV 속 경기하는 장면에
눈동자를 유심히 돌려가면서 시청하는
우리들은 목격자인가
언제라도 환호성을 지를 준비가 되어 있다
다시 가족의 품으로 돌아올/ 그들을 위해서